To my dearest
friend
Shibani

Biha
17/7/'10

Alpha
Doku

Compiled by Wayne Gould

First published in 2005 by Times Books

HarperCollins Publishers
77–85 Fulham Palace Road
London
w6 8jb

www.collins.co.uk

© 2005 Wayne Gould

Reprint 10 9 8 7 6 5 4 3 2 1 0

The Times is a registered trademark of Times Newspapers Ltd

ISBN 978-0-00-728153-4

A catalogue record for this book is available from
the British Library.

Printed and bound in India by Thomson Press (India) Ltd.

Contents

Puzzles

Solutions

Introduction

These Alpha Doku puzzles might look strange but they are not that different from Su Doku. Instead of the numbers 1 to 9, we have the letters A to I but the rules are otherwise just the same.

If you're an old hand at Su Doku and you follow your original techniques, you may get the hang of Alpha Doku pretty quickly. But intriguingly, many people who can speed through a regular Su Doku find that Alpha Doku might as well be in Japanese.

Since I introduced Su Doku from Japan, millions of people have been attracted by its compelling logical challenge. If you have been a crossword fan for years, or simply if you dislike number-crunching (and many of us do), Alpha Doku could be your way of joining them. Perhaps these letter-based puzzles will provide the entrée to Su Doku that has eluded you in the past.

The rules of Alpha Doku are straightforward. You simply have to fit every letter from A to I, in any order, into each row (left to right), each column (top to bottom) and each box (of nine cells). But learning the rules is just the easy bit.

There are four different difficulty levels, so even if you're a straight-A Alpha Doku student, you will be able to work your way up.

Wayne Gould

			F			G	
G			A	D	E	F	
B			2	3	C		D
		A	C			H	4
	F	1		H			I
		I			G	E	
	G		H				F
		B	G	E	D		H
	E				A		

Tips from Wayne Gould

Where to begin? Anywhere you can!

You could just guess where the letters go. But
if you guessed wrong – and the odds are that you
would – you would get yourself in an awful mess.
You would be blowing away eraser-dust for hours.
It's more fun to use reason and logic to winkle
out the letters' true positions.

Here are some logic techniques to get you started.

Look at the Gs in the leftmost stack of three boxes. There's a G in the top box and a G in the bottom box, but there's no G in the middle box. Bear in mind that the G in the top box is also the G for all of the first column. And the G in the bottom box is also the G for all of the second column. So the G for the middle box cannot go in columns 1 and 2. It must go in column 3. Within the middle box, column 3 already has two clues entered. In fact, there's only one free cell. That cell (marked 1) is the only one that can take the G.

That technique is called slicing. Now for slicing-and-dicing.

Look at the Gs in the band across the top of the grid. The leftmost box has its G and so does the rightmost box, but the middle box doesn't have its G yet. The G in the righthand box accounts for all of the top row. The G in the lefthand box does the same for the second row, although in fact the second row of the middle box is all filled up with clues, anyway. Using our slicing technique, we know that the G must go in cell 2 or cell 3.

It's time to look in the other direction. Look below the middle box, right down to the middle box at the bottom of the grid. That box has a G, and it's in column 4. There can be only one of each letter in a column, so that means the G for the top-middle box cannot go in cell 2. It must go in cell 3.

The numbers you enter become clues to help you make further progress. For example, look again at the G we added to cell 1. You can write the G in, if you like, to make it more obvious that 1 is now G. Using slicing-and-dicing, you should be able to add the G to the rightmost box in the middle band.

If you have never solved a Su Doku or Alpha Doku puzzle before, those techniques are all you need to get started. However, as you get deeper into the book, especially as you start mixing it with the Difficult puzzles, you will need to develop other skills. The best skills – the ones you will remember, without anyone having to explain them ever again – are the ones you discover for yourself. Perhaps you may even invent a few that no one has ever described before.

Puzzles

Easy

B	G				I			A
		I		D		C		B
	F	D	H		A		E	
I			D		E	H		
	A						C	
		G	F		B			E
	C		E		D	I	A	
F		E		G		D		
H			B				F	G

Alpha Doku

	H	B	F			I		
		D	E		A			H
C				D			G	B
	G		I		F		A	C
		E				B		
F	C		B		D		I	
D	F			C				A
E			A		H	F		
		C			B	G	E	

G		D	H			E	A	
H		F	G		A			I
	I			E	F			
F		A			E			B
		B				G		
I			D			H		C
			I	B			C	
E			A		D	B		G
	C	G			H	A		D

Alpha Doku

F			C				H	I
G		I	D	F		E		
	E		G				B	
			C		A	D	F	
	A		B		E		C	
H	C	G		A				
	D				F		G	
		H		D	C	I		B
C	F				H			A

Mild

E	B		G					F
		D		E		H		
	H		B					I
	C				H	B		A
H		F	E				C	
F					A		G	
		H		C		A		
I					F		E	C

Alpha Doku

		B	E		D	F		
	D						C	
F			H		G			E
		H	F		A	D		
I								F
		E	I		C	H		
H			A		B			C
	A						B	
		I	D		E	G		

Mild

	I	C			F		E	
G								
		E		G			I	A
B			F	H			A	
		F		D		I		
	H			C	G			D
H	F			I		E		
								G
	C		A			B	H	

	E			C			I	
H		A		F		G		
	I					C		
I	H					D	A	
	F	C			B	G		
G	B					H	F	
	D					B		
C		E		I			D	
B			D			H		

	A						C	
			I		D			
	B	I	A		C	E	D	
		B	F		I	H		
F								G
		G	C		E	F		
	E	H	B		G	C	A	
			D		H			
	I						G	

		B	F					
	H			I		E	B	
	I				E			F
		I	A		B			D
	F			C			E	
A			D		G	I		
F			B				I	
	E	G		A			H	
					H	G		

Mild

		G				A		
	H			F			C	
	D		H	A	I		E	
C	E			I			D	H
F	A			G			B	E
	C		A	D	G		F	
	G			C			I	
		A				H		

Alpha Doku

	C	F				D	E	
D								H
	H		E		G		F	
		A	H		E	I		
I			F		B			E
		G	I		D	B		
	I		D		H		G	
H								C
	A	D				H	B	

C	A			G		I	B	
H		I	D					F
	D	C			E	B		A
E								G
B		G	H			E	C	
A					B	G		H
	E	H		F			A	B

Alpha Doku

	H		C		D		B	
						F	G	C
	F				I			D
	D	G						H
			G		E			
E						G	A	
F			H				C	
D	I	E						
	A		D		F		E	

Mild

15

			F			G	C	
C			B	E				F
			G			E		
	C		A			H	G	
		H				D		
	F	D			E		B	
		A		B				
G				A	F			I
	E	F			I			

Alpha Doku

F	A		E		C		G	D
	C		A		H		I	
E				D				F
		E				A		
B								I
		G				E		
H				A				C
	G		F		D		E	
D	I		C		E		H	B

	H	A				E	I	
			E		I			
		F	B		D	G		
F		G				B		C
B				E				A
C		H				D		I
		E	A		F	I		
			I		C			
	G	D				C	A	

Alpha Doku

	A		F	H				
		B	E				D	C
		I			D	A		
D	E							
		H		I		B		
							F	H
		E	C			D		
H	F				A	C		
				G	E		A	

G			B		A			I
	A	H				E	G	
			G		D			
D	F			G			I	E
H								B
A	C			B			H	F
			D		G			
	H	E				C	D	
C			E		H			A

Alpha Doku

C		B		A		G		
	A	G	C	B	D	E		
D			F					
		C	H					D
E					F	C		
					E			H
		A	D	F	H	I	G	
		I		C		F		B

I	E						C	F
	D			H			I	
		A				H		
H	C		B		E		F	G
G	F		A		H		E	D
		F				D		
	B			A			G	
E	A						B	C

C						H	A	
D			G					B
		I	H	C	F			
G			I	D		A		
			F		G			
		C		B	E			H
		G	C	E		I		
A				F				E
	I	H						C

	D			H	G			
H		I			B			G
	C		A					
	B	H						C
E			H		A			B
A						I	G	
					I		F	
G			D			A		I
			G	B			H	

		H		E	I			
	B	D					E	
				C	F		B	A
E		B						
I		F		H		B		D
						I		E
H	A		C	F				
	E					F	G	
			I	G		D		

	F					B	A	
	H	I			D		E	
				B	C			
D		B		H				I
	C		B		I		G	
H				C		E		A
			C	D				
	G		F			C	I	
	B	C					D	

Alpha Doku

	F		H		G		B	
D			B		F			I
	H						C	
		E	C		B	A		
	I			H			G	
		A	I		D	E		
	G						D	
I			A		H			B
	A		G		E		F	

Mild

				C		H		
	F		E		D			G
	B	A	I					C
					B		C	
A	C						E	D
	E		F					
C					E	D	H	
E			G		I		B	
		F		H				

Alpha Doku

		B	E		I	F		
	E	H	C		G	A	D	
B			D	I	A			C
G								E
C			F	G	E			A
	G	C	I		F	B	H	
		I	A		B	G		

	B			A			E	
		A				F		
I			B		E			D
	G	B		D		C	A	
			H		A			
	C	F		E		D	I	
C			F		I			A
		I				B		
	F			G			H	

Alpha Doku

D	E	A		F				
H	F		E		C			
B				G				
	C				D		G	
		E	C		I	A		
	H		B				C	
			D					C
			G		H		B	I
			B		F	D	A	

Difficult

F					E			
H		B		C			E	
	C	D		I	H			
	A					H		C
I		G					B	
			D	B		E	H	
	E			A		D		G
			F					A

Alpha Doku

C		D				I		H
E	H			C			B	F
		I				E		
H			B		A			D
I			G		C			B
		C				H		
G	D			I			E	A
F		A				B		G

Difficult

	A		C			E		
	B				D		I	H
G			H		A			
	E	I				B		G
B		H				D	E	
			I		C			D
A	D		G				H	
		B			F		A	

	H				E	I		
		B						G
F		A			H			E
			B				A	
	B		H		F		D	
	G				D			
D			F			C		A
G						F		
		H	C				E	

Difficult

				F		B	G	
I					C			
B			H		G			
	A	C		H		D		
F			C		A			H
		E		D		F	A	
			I		H			A
			F					D
	H	I		B				

	D							H
			D	B			F	I
	I			A		B		
E		I				A		
			F		G			
		B				C		D
		E		F			C	
D	H			G	E			
G							E	

			I				F	
G	I	F	A			H		
			C					
C		E			A			
B								D
			H			A		G
					B			
		H			E	G	B	I
	F			H				

Alpha Doku

		G		A				
F		C		D				E
	C				G			
C	A	D		E		I		G
	D						B	
G	H	I		C		E		D
	E				B			
B		E		F				C
		H		B				

H	B							F
		F	I				G	
D			A		E			
			C			I	D	
	H						E	
	D	A			F			
			H		A			G
	G				B	A		
A							F	B

			A	H	G			
A				F				B
		D	C		E	I		
	A						D	
	I	G				H	C	
	H						I	
		H	B		F	E		
F				E				I
			G	C	D			

	B	D						
		H	B	E				
		I	A			B		H
					B	A	E	
G				F				B
	I	B	C					
H		F			C	E		
				A	I	D		
						H	C	

				D	E			
				G	C		B	
E						G		D
B		D				F		H
			G		F			
G		I				E		A
A		G						B
	D		F	I				
			A	C				

				H		E		
	H	I	D		C		B	
D					A		F	
	F	D					A	
B								E
	E					H	I	
	G		H					I
	I		F		G	A	D	
		A		I				

	B			C		F	A	
F			H			D		
	A	C						
		G			D			
H			I		G			E
			F			G		
					E	B		
		I			C			D
	E	A		H			F	

D	G					C		
	C	B	E					
I	F			D				
B				E				A
	I		B		A		F	
F				G				B
				H			G	D
					I	E	A	
		A					I	C

F			A	C	D			
G	E						H	
	I		H					
C		E			F			
I				B				G
			C			E		A
					E		B	
	F						E	H
			B	F	C			D

				H			F	
I				C	E			
		H	D		I	B		
	D	B				C		
A	I						H	B
		C				F	I	
		I	C		F	D		
			I	E				H
	A			B				

Alpha Doku

I					D			
F	C							
		E	H		G		F	
E			D		I		G	
				H				
	H		C		A			E
	D		G		C	F		
							H	D
			F					A

Difficult

	F						D	
	A			I			H	
		E	D		B	G		
A				C				H
F			B		G			A
E				D				F
		G	F		A	E		
	E			B			F	
	B						I	

	F		H		C		A	
	A	B		F		H	E	
		G				I		
F			G		I			E
G			E		H			B
		A				F		
	E	I		H		C	G	
	G		C		B		I	

A		F	H		I	D		B
	H		G		C		E	
C								E
		E	C	D				
F								A
	A		D		H		I	
G		I	B		A	E		H

G			A		D			H
				B				
		E		F		D		
	G	C				I	A	
A		I				H		C
	E	B				G	F	
		G		H		B		
				E				
E			I		B			A

		A	C			D	F	
D				B				
G			H	F				E
						G		C
	E	I				F	A	
H		G						
F				E	H			I
				A				F
	D	H			G	B		

Alpha Doku

D	C	A			I	G		
		G						
	H		F					
			C		E			F
E		F		H		C		I
A			B		D			
					C		I	
						D		
		I	A			H	C	B

	F			H			A	
	B	I				E	G	
			B		D			
A			G		I			C
	C						E	
G			E		A			H
			D		B			
	A	H				F	D	
	E			F			C	

Alpha Doku

				A				F
H		D	G	I				E
				D	I			B
	A			I				
	G		C		E			
		B				I		
G		H	C					
C			B	E	A			G
D			G					

Difficult

		H	C				D	
	I				F			
G	C				E			
E	G		D		H			
		C				A		
			E		A		I	D
			H				G	E
			F				C	
	F				C	I		

D		H			E			F
	E		D					
			B	F				
B		I	E			A		
			C		F			
		G			I	E		C
				G	D			
					B		H	
I			F			C		A

	G			F		H		
			E		H	I		D
H	B		C					
	I					C	A	
G								B
	F	H					D	
					A		I	C
E		B	I		G			
		A		D			E	

F			B			E	G	
				C				I
E		D	A			F		
G	H					B		
		B					F	G
		H			F	I		E
C				A				
	E	G			H			F

C		G			D			
		F		A				B
	I				E		G	
			D	B			E	A
D	G			I	C			
	D		I				A	
H				D		B		
			F			D		G

Alpha Doku

F		D			G	C	B	
				E			I	
			C		H			
C			A					
	A	I		G		F	D	
				D				A
		A		I				
	C		E					
	E	B	H			D		I

Difficult

	F			A		D		
	G		E		D			
D					B			E
F						I		
		C	D		G	H		
		E						F
G			B					I
			G		F		H	
		I		H			F	

		C	A		B			
				I	D		G	
B	I							H
				A	C	H		
	B		I		H	D		
	H	I	D					
I							C	D
	G		B	A				
			H		I	F		

Difficult

B			H			D	I	
		A		B				
		E			F	A		
A					D			
	D	C				G	B	
			C					D
		I	E			B		
				F		E		
	F	H			A			C

Alpha Doku

			C					I
	E	F			I			H
			A		F			
F	H				E			B
I			G					F
E			H				C	D
		E		H				
C			B			I	H	
A					G			

H	I						D	G
C								H
		A		E		F		
			E	G	C			
B	C			F			A	D
			B	A	D			
		H		B		C		
D								F
F	E						B	A

Alpha Doku

		F				C		
	B		C	I	G		D	
D				E				I
C			A		E			G
				B				
B			G		D			F
I				C				E
	E		D	G	B		I	
		B				D		

	H	F		A		B	G	
		A	D	F		E		
			C			D		B
H				G				E
F		C			E			
		G		E	C	F		
	F	I		H		G	D	

Alpha Doku

	B	I				A	E	
			B	C	E			
		F				C		
E			C		D			H
				A				
F			G		B			A
		G				I		
			I	F	C			
	H	C				B	A	

Difficult

G			H					I
	C		B	D				F
						H	C	
			I			F	D	
		I		G		A		
	E	A			F			
	D	C						
I				B	H		E	
A					G			H

Alpha Doku

	E	A		I		B	G	
H			G		A			I
	G	I		F		A	D	
	D	H		B		F	E	
A			H		F			B
	B	D		C		G	H	

Difficult

			F					
	D		I		E		G	
E		C	A					I
	B				H	G		E
C								A
G		A	C				B	
I					A	F		B
	C		H		D		I	
					I			

Alpha Doku

C			A		F			E
		B				G	H	
			G					I
		E			G		I	A
				F				
H	I		E			F		
E					D			
	H	G				E		
D			F		A			H

	H		C			B		
D		C					A	
	G			E				
	I				A			D
	C		F		I		G	
H			G				F	
				C			E	
	D					H		G
		F			B		C	

Alpha Doku

Fiendish

		F					H	
E	G				C	A		
	I	C		D				G
D			I					
			B		G			
			C					I
F			B			G	I	
		D	E				C	H
	C					F		

Alpha Doku

		B				F		
	E			F			I	
F			H		G			E
		H				C		
	I		G		B		D	
		G				I		
A			I		E			G
	C			G			H	
		D				E		

			A				F	
B	I		A					D
		F	D	B				
	E					G		
G		I		F		A		H
		H					C	
			D	H	C			
F				C			E	I
	D							

Alpha Doku

	B					I		G
		A			G			
	E			I			A	
C				A			F	
E			B		C			I
	A			H				C
	C			F			G	
			E			D		
D		F					B	

		C			G	H		
	B		H	C				F
			F				G	
							D	E
	H	I				B	C	
D	F							
	D				E			
I				B	C		H	
		A	I			G		

	D			B		G		
			C			D	H	I
				G				
				I	E	C		
G	I						D	F
	A	C	F					
			B					
A	C	D	G					
		F	H			Λ		

Fiendish

		G		H		A		
		H	C	B				
I	F							
D			A				G	
	I			E			C	
	G				H			B
							A	C
				G	D	F		
		B		A		G		

Alpha Doku

	B	D	H					A
					H	F		
			A		C			
D				I	F			G
	F						E	
C			A	D				I
		G		H				
	D	F						
A					G	B	I	

G			F		D	H		
				C			I	
		C				D		G
			D	I			F	
B								H
	I			E	F			
I		B				A		
	H		E					
		E	G		I			C

Alpha Doku

				F		D		E
	H				D	F	I	B
		F						
		A	D	B				
	I						E	
				E	G	H		
						A		
I	A	G	C				H	
F		E		A				

			E			F		
I				G		B		
		G			F	H		
					I	G	E	
	F						H	
	C	I	F					
		H	B			D		
		B		C				G
		A			G			

	E			A	H			C
		H				D		
F					G			E
			E	B		A		
		F				I		
	A		H	D				
B			A					G
		D				C		
E			G	C			F	

Fiendish

						C		
	H	F		B				
		G	C					I
I		A	H				E	
F			E		A			G
	E				C	B		F
B					H	F		
				E		I	D	
		D						

Alpha Doku

		E	C	F				B
			D		I		C	
			H			F		G
B		C						
		F				E		
						H		D
I		A			F			
	B		I		D			
F				E	C	B		

	B	I			F			C
D						H		
					B	I	A	
	I		E		H			G
F			G		D		I	
	H	A	F					
		D						B
G			H			F	C	

Alpha Doku

	D	I						
			B					H
A			D		F	E		
F	G							B
		H		E		F		
D							C	E
		A	I		H			F
G					C			
						D	A	

Fiendish

		I	D				E	
				C	B	H		
	E			F	C			
B			A		H			
	G					D		
		D		G				E
		H	F			C		
	D	A	H					
	C			E	F			

Alpha Doku

	C		B		H			G
	E		I					C
					C			F
		F				A	D	
A								H
	I	D				G		
B			H					
D					B		I	
C			D		I		G	

G							B	
	A		I			C		H
		I	H	A				G
	F		A	H				
				F	C		G	
B				D	F	G		
E		G			H		F	
	D							B

					A			E
	H	F		E				B
			F	I		G		
		D	G					C
			B		F			
F				I		E		
	D		G	A				
A				D		C	I	
B			I					

G		E	B					D
	H	C						
B					C	A		
				E		D		
H			F					G
	F		D					
	G	F						C
					A	G		
D				G	I			E

Alpha Doku

						B		
			B			I	G	
			G		H		E	
		I		C		E		G
	G						F	
H		B		I		C		
	D		C		I			
	F	G			A			
		C						

Fiendish

F				B			A	H
D					A			
		C		E		G		
	I							
H		G		I		F		E
							H	
		F		G		C		
			E					I
G	C			H				D

Alpha Doku

		A	I	E				
			F					
I				C	G	E		
		I	H				C	E
D	H				G	A		
	A	B	C					H
				B				
			A	I	B			

D			C			E	F	
			H				C	
		I			F		B	
	F		E				D	
	C				B		I	
	B		D			G		
	D				H			
	E	A			C			B

Alpha Doku

Solutions

1

B	G	H	C	E	I	F	D	A
A	E	I	G	D	F	C	H	B
C	F	D	H	B	A	G	E	I
I	B	C	D	A	E	H	G	F
E	A	F	I	H	G	B	C	D
D	H	G	F	C	B	A	I	E
G	C	B	E	F	D	I	A	H
F	I	E	A	G	H	D	B	C
H	D	A	B	I	C	E	F	G

2

A	H	B	F	G	C	I	D	E
G	I	D	E	B	A	C	F	H
C	E	F	H	D	I	A	G	B
B	G	H	I	E	F	D	A	C
I	D	E	C	A	G	B	H	F
F	C	A	B	H	D	E	I	G
D	F	I	G	C	E	H	B	A
E	B	G	A	I	H	F	C	D
H	A	C	D	F	B	G	E	I

Alpha Doku

3

G	B	D	H	I	C	E	A	F
H	E	F	G	D	A	C	B	I
A	I	C	B	E	F	D	G	H
F	H	A	C	G	E	I	D	B
C	D	B	F	H	I	G	E	A
I	G	E	D	A	B	H	F	C
D	A	H	I	B	G	F	C	E
E	F	I	A	C	D	B	H	G
B	C	G	E	F	H	A	I	D

4

F	B	D	C	E	A	G	H	I
G	H	I	D	F	B	E	A	C
A	E	C	G	H	I	F	B	D
B	I	E	H	C	G	A	D	F
D	A	F	B	I	E	H	C	G
H	C	G	F	A	D	B	I	E
I	D	A	E	B	F	C	G	H
E	G	H	A	D	C	I	F	B
C	F	B	I	G	H	D	E	A

5

E	B	I	G	H	D	C	A	F
C	F	D	A	E	I	H	B	G
A	H	G	B	F	C	E	D	I
G	C	E	F	D	H	B	I	A
B	D	A	C	I	G	F	H	E
H	I	F	E	A	B	G	C	D
F	E	C	D	B	A	I	G	H
D	G	H	I	C	E	A	F	B
I	A	B	H	G	F	D	E	C

6

A	H	B	E	C	D	F	G	I
E	D	G	B	I	F	A	C	H
F	I	C	H	A	G	B	D	E
C	G	H	F	E	A	D	I	B
I	B	A	G	D	H	C	E	F
D	F	E	I	B	C	H	A	G
H	E	D	A	G	B	I	F	C
G	A	F	C	H	I	E	B	D
B	C	I	D	F	E	G	H	A

Alpha Doku

7

D	I	C	H	A	F	G	E	B
G	A	H	I	B	E	D	C	F
F	B	E	D	G	C	H	I	A
B	G	D	F	H	I	C	A	E
C	E	F	B	D	A	I	G	H
A	H	I	E	C	G	F	B	D
H	F	A	G	I	B	E	D	C
I	D	B	C	E	H	A	F	G
E	C	G	A	F	D	B	H	I

8

D	E	G	B	C	H	A	I	F
B	H	C	A	I	F	E	G	D
F	A	I	D	E	G	C	B	H
C	I	H	G	F	E	D	A	B
A	D	F	C	H	B	G	E	I
E	G	B	I	A	D	H	F	C
I	F	D	H	G	A	B	C	E
H	C	A	E	B	I	F	D	G
G	B	E	F	D	C	I	H	A

9

H	A	D	G	E	F	I	C	B
E	F	C	I	B	D	G	H	A
G	B	I	A	H	C	E	D	F
A	D	B	F	G	I	H	E	C
F	C	E	H	D	B	A	I	G
I	H	G	C	A	E	F	B	D
D	E	H	B	F	G	C	A	I
C	G	A	D	I	H	B	F	E
B	I	F	E	C	A	D	G	H

10

E	G	B	F	H	D	C	A	I
D	H	F	C	I	A	E	B	G
C	I	A	G	B	E	H	D	F
H	C	I	A	E	B	F	G	D
G	F	D	H	C	I	B	E	A
A	B	E	D	F	G	I	C	H
F	D	H	B	G	C	A	I	E
B	E	G	I	A	F	D	H	C
I	A	C	E	D	H	G	F	B

11

I	F	G	C	B	E	A	H	D
A	H	E	G	F	D	B	C	I
B	D	C	H	A	I	F	E	G
C	E	B	F	I	A	G	D	H
G	I	D	E	H	B	C	A	F
F	A	H	D	G	C	I	B	E
H	C	I	A	D	G	E	F	B
E	G	F	B	C	H	D	I	A
D	B	A	I	E	F	H	G	C

12

B	C	F	A	H	I	D	E	G
D	G	E	B	F	C	A	I	H
A	H	I	E	D	G	C	F	B
F	B	A	H	G	E	I	C	D
I	D	H	F	C	B	G	A	E
C	E	G	I	A	D	B	H	F
E	I	C	D	B	H	F	G	A
H	F	B	G	I	A	E	D	C
G	A	D	C	E	F	H	B	I

13

G	F	E	A	B	I	H	D	C
C	A	D	F	G	H	I	B	E
H	B	I	D	E	C	A	G	F
F	D	C	G	I	E	B	H	A
E	H	A	B	C	D	F	I	G
B	I	G	H	A	F	E	C	D
A	C	F	I	D	B	G	E	H
I	E	H	C	F	G	D	A	B
D	G	B	E	H	A	C	F	I

14

G	H	A	C	F	D	I	B	E
I	E	D	A	H	B	F	G	C
B	F	C	E	G	I	A	H	D
A	D	G	F	B	C	E	I	H
H	B	I	G	A	E	C	D	F
E	C	F	I	D	H	G	A	B
F	G	B	H	E	A	D	C	I
D	I	E	B	C	G	H	F	A
C	A	H	D	I	F	B	E	G

15

H	B	E	F	I	A	G	C	D
C	D	G	B	E	H	A	I	F
F	A	I	D	G	C	E	H	B
I	C	B	A	F	D	H	G	E
E	G	H	I	C	B	D	F	A
A	F	D	G	H	E	I	B	C
D	I	A	C	B	G	F	E	H
G	H	C	E	A	F	B	D	I
B	E	F	H	D	I	C	A	G

16

F	A	I	E	B	C	H	G	D
G	C	D	A	F	H	B	I	E
E	B	H	I	D	G	C	A	F
I	D	E	H	C	F	A	B	G
B	H	C	G	E	A	D	F	I
A	F	G	D	I	B	E	C	H
H	E	F	B	A	I	G	D	C
C	G	B	F	H	D	I	E	A
D	I	A	C	G	E	F	H	B

17

D	H	A	F	C	G	E	I	B
G	B	C	E	H	I	A	F	D
E	I	F	B	A	D	G	C	H
F	E	G	D	I	A	B	H	C
B	D	I	C	E	H	F	G	A
C	A	H	G	F	B	D	E	I
H	C	E	A	D	F	I	B	G
A	F	B	I	G	C	H	D	E
I	G	D	H	B	E	C	A	F

18

C	A	D	F	H	G	E	I	B
F	G	B	E	A	I	H	D	C
E	H	I	B	C	D	A	G	F
D	E	F	G	B	H	I	C	A
G	C	H	A	I	F	B	E	D
I	B	A	D	E	C	G	F	H
A	I	E	C	F	B	D	H	G
H	F	G	I	D	A	C	B	E
B	D	C	H	G	E	F	A	I

Alpha Doku

19

G	D	C	B	E	A	H	F	I
B	A	H	C	F	I	E	G	D
E	I	F	G	H	D	B	A	C
D	F	B	H	G	C	A	I	E
H	E	I	A	D	F	G	C	B
A	C	G	I	B	E	D	H	F
F	B	A	D	C	G	I	E	H
I	H	E	F	A	B	C	D	G
C	G	D	E	I	H	F	B	A

20

C	H	B	E	A	I	G	D	F
F	A	G	C	B	D	E	H	I
D	I	E	F	H	G	B	C	A
I	G	C	H	E	B	A	F	D
A	F	D	I	G	C	H	B	E
E	B	H	A	D	F	C	I	G
G	C	F	B	I	E	D	A	H
B	E	A	D	F	H	I	G	C
H	D	I	G	C	A	F	E	B

21

I	E	H	D	B	A	G	C	F
F	D	C	E	H	G	B	I	A
B	G	A	I	F	C	H	D	E
H	C	D	B	I	E	A	F	G
A	I	E	F	G	D	C	H	B
G	F	B	A	C	H	I	E	D
C	H	F	G	E	B	D	A	I
D	B	I	C	A	F	E	G	H
E	A	G	H	D	I	F	B	C

22

C	G	E	B	I	F	H	A	D
D	H	F	E	G	A	C	I	B
B	A	I	D	H	C	F	E	G
G	E	B	I	D	H	A	C	F
H	D	A	F	C	G	E	B	I
I	F	C	A	B	E	G	D	H
F	B	G	C	E	D	I	H	A
A	C	D	H	F	I	B	G	E
E	I	H	G	A	B	D	F	C

Alpha Doku

23

F	D	E	I	H	G	B	C	A
H	A	I	C	F	B	D	E	G
B	C	G	A	D	E	H	I	F
I	B	H	F	G	D	E	A	C
E	G	C	H	I	A	F	D	B
A	F	D	B	E	C	I	G	H
C	H	B	E	A	I	G	F	D
G	E	F	D	C	H	A	B	I
D	I	A	G	B	F	C	H	E

24

A	C	H	B	E	I	G	D	F
F	B	D	H	A	G	C	E	I
G	I	E	D	C	F	H	B	A
E	D	B	F	I	C	A	H	G
I	G	F	E	H	A	B	C	D
C	H	A	G	D	B	I	F	E
H	A	G	C	F	D	E	I	B
D	E	I	A	B	H	F	G	C
B	F	C	I	G	E	D	A	H

25

C	F	E	H	I	G	B	A	D
B	H	I	A	F	D	G	E	C
G	D	A	E	B	C	I	H	F
D	A	B	G	H	E	F	C	I
E	C	F	B	A	I	D	G	H
H	I	G	D	C	F	E	B	A
I	E	H	C	D	B	A	F	G
A	G	D	F	E	H	C	I	B
F	B	C	I	G	A	H	D	E

26

C	F	I	H	A	G	D	B	E
D	E	G	B	C	F	H	A	I
A	H	B	D	E	I	F	C	G
H	D	E	C	G	B	A	I	F
F	I	C	E	H	A	B	G	D
G	B	A	I	F	D	E	H	C
E	G	H	F	B	C	I	D	A
I	C	F	A	D	H	G	E	B
B	A	D	G	I	E	C	F	H

Alpha Doku

27

G	I	E	A	C	F	H	D	B
H	F	C	E	B	D	I	A	G
D	B	A	I	G	H	E	F	C
F	H	G	D	E	B	A	C	I
A	C	B	H	I	G	F	E	D
I	E	D	F	A	C	B	G	H
C	G	I	B	F	E	D	H	A
E	A	H	G	D	I	C	B	F
B	D	F	C	H	A	G	I	E

28

D	A	B	E	H	I	F	C	G
F	C	G	B	A	D	E	I	H
I	E	H	C	F	G	A	D	B
B	F	E	D	I	A	H	G	C
G	I	A	H	B	C	D	F	E
C	H	D	F	G	E	I	B	A
A	G	C	I	E	F	B	H	D
E	B	F	G	D	H	C	A	I
H	D	I	A	C	B	G	E	F

29

F	B	C	D	A	G	H	E	I
D	E	A	C	I	H	F	B	G
I	H	G	B	F	E	A	C	D
H	G	B	I	D	F	C	A	E
E	I	D	H	C	A	G	F	B
A	C	F	G	E	B	D	I	H
C	D	H	F	B	I	E	G	A
G	A	I	E	H	C	B	D	F
B	F	E	A	G	D	I	H	C

30

D	E	A	H	F	B	C	I	G
H	F	G	E	I	C	B	A	D
B	I	C	D	G	A	H	E	F
A	C	B	F	E	D	I	G	H
G	D	E	C	H	I	A	F	B
I	H	F	B	A	G	D	C	E
E	B	I	A	D	F	G	H	C
F	A	D	G	C	H	E	B	I
C	G	H	I	B	E	F	D	A

Alpha Doku

31

F	I	A	B	D	E	C	G	H
H	G	B	A	C	F	I	E	D
E	C	D	G	I	H	F	A	B
D	A	F	E	G	B	H	I	C
C	B	E	I	H	A	G	D	F
I	H	G	C	F	D	A	B	E
A	F	C	D	B	G	E	H	I
B	E	I	H	A	C	D	F	G
G	D	H	F	E	I	B	C	A

32

C	B	D	E	G	F	I	A	H
E	H	G	A	C	I	D	B	F
A	F	I	H	B	D	E	G	C
H	C	F	B	E	A	G	I	D
D	G	B	I	F	H	A	C	E
I	A	E	G	D	C	F	H	B
B	E	C	D	A	G	H	F	I
G	D	H	F	I	B	C	E	A
F	I	A	C	H	E	B	D	G

33

H	A	D	C	I	B	E	G	F
F	B	C	E	G	D	A	I	H
G	I	E	H	F	A	C	D	B
C	E	I	A	D	H	B	F	G
D	F	A	B	E	G	H	C	I
B	G	H	F	C	I	D	E	A
E	H	G	I	A	C	F	B	D
A	D	F	G	B	E	I	H	C
I	C	B	D	H	F	G	A	E

34

C	H	G	A	B	E	I	F	D
E	D	B	I	F	C	A	H	G
F	I	A	G	D	H	B	C	E
H	C	D	B	I	G	E	A	F
I	B	E	H	A	F	G	D	C
A	G	F	E	C	D	H	I	B
D	E	I	F	H	B	C	G	A
G	A	C	D	E	I	F	B	H
B	F	H	C	G	A	D	E	I

35

A	C	H	D	F	I	B	G	E
I	E	G	B	A	C	H	D	F
B	F	D	H	E	G	A	C	I
G	A	C	E	H	F	D	I	B
F	D	B	C	I	A	G	E	H
H	I	E	G	D	B	F	A	C
D	G	F	I	C	H	E	B	A
C	B	A	F	G	E	I	H	D
E	H	I	A	B	D	C	F	G

36

B	D	C	G	I	F	E	A	H
A	E	H	D	B	C	G	F	I
F	I	G	E	A	H	B	D	C
E	G	I	B	C	D	A	H	F
C	A	D	F	H	G	I	B	E
H	F	B	A	E	I	C	G	D
I	B	E	H	F	A	D	C	G
D	H	A	C	G	E	F	I	B
G	C	F	I	D	B	H	E	A

37

H	A	C	B	I	G	D	F	E
G	I	F	A	E	D	H	C	B
E	B	D	C	F	H	I	G	A
C	G	E	I	D	A	B	H	F
B	H	A	E	G	F	C	I	D
F	D	I	H	B	C	A	E	G
I	E	G	D	C	B	F	A	H
D	C	H	F	A	E	G	B	I
A	F	B	G	H	I	E	D	C

38

H	I	D	G	E	A	F	C	B
F	G	B	C	I	D	A	H	E
A	E	C	B	F	H	G	D	I
C	B	A	D	H	E	I	F	G
E	D	I	F	A	G	C	B	H
G	F	H	I	B	C	E	A	D
D	H	E	A	C	I	B	G	F
B	A	G	E	D	F	H	I	C
I	C	F	H	G	B	D	E	A

39

H	B	I	D	G	C	E	A	F
E	A	F	I	B	H	C	G	D
D	C	G	A	F	E	B	H	I
B	F	E	C	A	G	I	D	H
G	H	C	B	I	D	F	E	A
I	D	A	E	H	F	G	B	C
F	I	B	H	E	A	D	C	G
C	G	H	F	D	B	A	I	E
A	E	D	G	C	I	H	F	B

40

B	F	I	A	H	G	C	E	D
A	C	E	D	F	I	G	H	B
H	G	D	C	B	E	I	F	A
C	A	F	I	G	H	B	D	E
D	I	G	E	A	B	H	C	F
E	H	B	F	D	C	A	I	G
G	D	H	B	I	F	E	A	C
F	B	C	H	E	A	D	G	I
I	E	A	G	C	D	F	B	H

41

C	B	D	F	I	H	G	A	E
A	G	H	B	E	D	I	F	C
F	E	I	A	C	G	B	D	H
D	F	C	I	H	B	A	E	G
G	H	A	D	F	E	C	I	B
E	I	B	C	G	A	F	H	D
H	A	F	G	D	C	E	B	I
B	C	E	H	A	I	D	G	F
I	D	G	E	B	F	H	C	A

42

I	G	H	B	D	E	C	A	F
D	A	F	I	G	C	H	B	E
E	B	C	H	F	A	G	I	D
B	E	D	C	A	I	F	G	H
C	H	A	G	E	F	B	D	I
G	F	I	D	B	H	E	C	A
A	C	G	E	H	D	I	F	B
H	D	B	F	I	G	A	E	C
F	I	E	A	C	B	D	H	G

Alpha Doku

43

A	B	F	G	H	I	E	C	D
E	H	I	D	F	C	G	B	A
D	C	G	B	E	A	I	F	H
I	F	D	E	G	H	C	A	B
B	A	H	I	C	F	D	G	E
G	E	C	A	D	B	H	I	F
C	G	B	H	A	D	F	E	I
H	I	E	F	B	G	A	D	C
F	D	A	C	I	E	B	H	G

44

D	B	H	G	C	E	F	A	I
F	G	E	H	I	A	D	C	B
I	A	C	B	D	F	H	E	G
A	I	G	C	E	D	B	H	F
H	F	B	I	A	G	C	D	E
E	C	D	F	B	H	G	I	A
C	D	F	A	G	I	E	B	H
B	H	I	E	F	C	A	G	D
G	E	A	D	H	B	I	F	C

45

D	G	E	F	A	B	C	H	I
A	C	B	E	I	H	G	D	F
I	F	H	G	D	C	A	B	E
B	H	G	I	E	F	D	C	A
E	I	D	B	C	A	H	F	G
F	A	C	H	G	D	I	E	B
C	B	I	A	H	E	F	G	D
G	D	F	C	B	I	E	A	H
H	E	A	D	F	G	B	I	C

46

F	B	H	A	C	D	I	G	E
G	E	D	F	I	B	A	H	C
A	I	C	H	E	G	B	D	F
C	G	E	D	A	F	H	I	B
I	A	F	E	B	H	D	C	G
H	D	B	C	G	I	E	F	A
D	C	A	G	H	E	F	B	I
B	F	G	I	D	A	C	E	H
E	H	I	B	F	C	G	A	D

Alpha Doku

47

C	B	D	G	H	A	E	F	I
I	F	A	B	C	E	H	D	G
E	G	H	D	F	I	B	A	C
G	D	B	F	I	H	C	E	A
A	I	F	E	D	C	G	H	B
H	E	C	A	G	B	F	I	D
B	H	I	C	A	F	D	G	E
F	C	G	I	E	D	A	B	H
D	A	E	H	B	G	I	C	F

48

I	G	A	B	F	D	E	C	H
F	C	H	A	I	E	D	B	G
D	B	E	H	C	G	A	F	I
E	A	C	D	B	I	H	G	F
G	I	D	E	H	F	B	A	C
B	H	F	C	G	A	I	D	E
H	D	I	G	A	C	F	E	B
A	F	G	I	E	B	C	H	D
C	E	B	F	D	H	G	I	A

49

G	F	I	H	A	E	C	D	B
B	A	D	G	I	C	F	H	E
C	H	E	D	F	B	G	A	I
A	G	B	I	C	F	D	E	H
F	D	H	B	E	G	I	C	A
E	I	C	A	D	H	B	G	F
I	C	G	F	H	A	E	B	D
D	E	A	C	B	I	H	F	G
H	B	F	E	G	D	A	I	C

50

E	F	D	H	I	C	B	A	G
I	A	B	D	F	G	H	E	C
C	H	G	B	E	A	I	D	F
F	D	H	G	B	I	A	C	E
A	B	E	F	C	D	G	H	I
G	I	C	E	A	H	D	F	B
D	C	A	I	G	E	F	B	H
B	E	I	A	H	F	C	G	D
H	G	F	C	D	B	E	I	A

Alpha Doku

51

A	C	F	H	E	I	D	G	B
I	G	E	F	D	B	A	H	C
D	H	B	G	A	C	F	E	I
C	I	G	A	B	F	H	D	E
H	B	A	E	C	D	I	F	G
F	E	D	I	H	G	C	B	A
E	A	C	D	G	H	B	I	F
B	F	H	C	I	E	G	A	D
G	D	I	B	F	A	E	C	H

52

G	B	F	A	I	D	E	C	H
D	C	H	G	B	E	A	I	F
I	A	E	H	F	C	D	B	G
F	G	C	E	D	H	I	A	B
A	D	I	B	G	F	H	E	C
H	E	B	C	A	I	G	F	D
C	I	G	F	H	A	B	D	E
B	F	A	D	E	G	C	H	I
E	H	D	I	C	B	F	G	A

53

E	B	A	C	G	I	D	F	H
D	H	F	E	B	A	I	C	G
G	I	C	H	F	D	A	B	E
A	F	D	B	I	E	G	H	C
B	E	I	G	H	C	F	A	D
H	C	G	A	D	F	E	I	B
F	A	B	D	E	H	C	G	I
C	G	E	I	A	B	H	D	F
I	D	H	F	C	G	B	E	A

54

D	C	A	E	B	I	G	F	H
F	B	G	D	A	H	I	E	C
I	H	E	F	C	G	B	A	D
H	G	B	C	I	E	A	D	F
E	D	F	G	H	A	C	B	I
A	I	C	B	F	D	E	H	G
B	A	D	H	G	C	F	I	E
C	F	H	I	E	B	D	G	A
G	E	I	A	D	F	H	C	B

Alpha Doku

55

E	F	D	I	H	G	C	A	B
H	B	I	F	A	C	E	G	D
C	G	A	B	E	D	H	I	F
A	H	E	G	B	I	D	F	C
I	C	B	H	D	F	G	E	A
G	D	F	E	C	A	I	B	H
F	I	C	D	G	B	A	H	E
B	A	H	C	I	E	F	D	G
D	E	G	A	F	H	B	C	I

56

B	G	I	E	A	C	H	D	F
H	F	D	G	I	B	C	A	E
A	C	E	F	H	D	I	G	B
F	A	B	H	E	I	G	C	D
I	D	G	A	C	F	E	B	H
E	H	C	B	D	G	F	I	A
G	B	H	C	F	A	D	E	I
C	I	F	D	B	E	A	H	G
D	E	A	I	G	H	B	F	C

57

F	A	H	C	G	B	E	D	I
D	I	E	A	H	F	C	B	G
G	C	B	I	D	E	H	A	F
E	G	A	D	I	H	B	F	C
I	D	C	B	F	G	A	E	H
B	H	F	E	C	A	G	I	D
C	B	I	H	A	D	F	G	E
H	E	G	F	B	I	D	C	A
A	F	D	G	E	C	I	H	B

58

D	A	H	G	I	E	B	C	F
F	E	B	D	H	C	I	A	G
G	I	C	B	F	A	H	E	D
B	C	I	E	D	G	A	F	H
H	D	E	C	A	F	G	I	B
A	F	G	H	B	I	E	D	C
C	H	A	I	G	D	F	B	E
E	G	F	A	C	B	D	H	I
I	B	D	F	E	H	C	G	A

Alpha Doku

59

D	G	I	A	F	B	H	C	E
C	A	F	E	G	H	I	B	D
H	B	E	C	I	D	A	G	F
B	I	D	F	H	E	C	A	G
G	E	C	D	A	I	F	H	B
A	F	H	G	B	C	E	D	I
F	D	G	H	E	A	B	I	C
E	H	B	I	C	G	D	F	A
I	C	A	B	D	F	G	E	H

60

F	C	I	B	H	D	E	G	A
H	G	A	F	C	E	D	B	I
E	B	D	A	I	G	F	C	H
G	H	C	I	F	A	B	E	D
A	F	E	G	D	B	H	I	C
D	I	B	H	E	C	A	F	G
B	A	H	C	G	F	I	D	E
C	D	F	E	A	I	G	H	B
I	E	G	D	B	H	C	A	F

61

C	A	G	B	H	D	E	F	I
E	H	F	G	A	I	C	D	B
B	I	D	C	F	E	A	G	H
I	C	H	D	B	F	G	E	A
F	B	E	H	G	A	I	C	D
D	G	A	E	I	C	H	B	F
G	D	B	I	E	H	F	A	C
H	F	C	A	D	G	B	I	E
A	E	I	F	C	B	D	H	G

62

F	H	D	I	A	G	C	B	E
B	G	C	D	H	E	A	I	F
A	I	E	B	C	F	H	G	D
C	D	F	A	B	I	G	E	H
E	A	I	C	G	H	F	D	B
H	B	G	F	E	D	I	C	A
D	F	A	G	I	B	E	H	C
I	C	H	E	D	A	B	F	G
G	E	B	H	F	C	D	A	I

63

E	F	B	H	A	I	D	C	G
I	G	A	E	C	D	F	B	H
D	C	H	F	G	B	A	I	E
F	A	G	C	E	H	I	D	B
B	I	C	D	F	G	H	E	A
H	D	E	I	B	A	C	G	F
G	H	F	B	D	C	E	A	I
A	E	D	G	I	F	B	H	C
C	B	I	A	H	E	G	F	D

64

G	E	C	A	H	B	I	D	F
H	F	A	E	I	D	B	G	C
B	I	D	C	F	G	E	A	H
E	D	G	F	B	A	C	H	I
F	C	B	I	G	H	D	E	A
A	H	I	D	C	E	G	F	B
I	B	H	G	E	F	A	C	D
D	G	F	B	A	C	H	I	E
C	A	E	H	D	I	F	B	G

B	C	F	H	A	E	D	I	G
D	I	A	G	B	C	H	F	E
H	G	E	D	I	F	A	C	B
A	H	B	F	G	D	C	E	I
F	D	C	A	E	I	G	B	H
I	E	G	C	H	B	F	A	D
G	A	I	E	C	H	B	D	F
C	B	D	I	F	G	E	H	A
E	F	H	B	D	A	I	G	C

G	B	A	C	F	H	E	D	I
D	E	F	G	B	I	C	A	H
H	C	I	E	A	D	F	B	G
F	H	D	A	C	E	G	I	B
I	A	C	D	G	B	H	E	F
E	G	B	H	I	F	A	C	D
B	I	E	F	H	C	D	G	A
C	F	G	B	D	A	I	H	E
A	D	H	I	E	G	B	F	C

67

H	I	E	F	C	A	B	D	G
C	F	B	G	D	I	A	E	H
G	D	A	H	E	B	F	C	I
I	A	D	E	G	C	H	F	B
B	C	G	I	F	H	E	A	D
E	H	F	B	A	D	I	G	C
A	G	H	D	B	F	C	I	E
D	B	C	A	I	E	G	H	F
F	E	I	C	H	G	D	B	A

68

G	I	F	H	D	A	C	E	B
A	B	E	C	I	G	F	D	H
D	C	H	B	E	F	G	A	I
C	H	D	A	F	E	I	B	G
E	F	G	I	B	C	A	H	D
B	A	I	G	H	D	E	C	F
I	D	A	F	C	H	B	G	E
F	E	C	D	G	B	H	I	A
H	G	B	E	A	I	D	F	C

C	H	F	E	A	I	B	G	D
G	B	A	D	F	H	E	C	I
I	E	D	G	C	B	H	A	F
A	G	E	C	I	F	D	H	B
H	I	B	A	G	D	C	F	E
F	D	C	H	B	E	A	I	G
B	C	H	F	D	G	I	E	A
D	A	G	I	E	C	F	B	H
E	F	I	B	H	A	G	D	C

C	B	I	F	G	H	A	E	D
A	D	H	B	C	E	G	F	I
G	E	F	A	D	I	C	H	B
E	G	A	C	I	D	F	B	H
H	I	B	E	A	F	D	G	C
F	C	D	G	H	B	E	I	A
D	F	G	H	B	A	I	C	E
B	A	E	I	F	C	H	D	G
I	H	C	D	E	G	B	A	F

71

G	A	D	H	F	C	E	B	I
E	C	H	B	D	I	G	A	F
F	I	B	G	E	A	H	C	D
C	H	G	I	A	B	F	D	E
B	F	I	E	G	D	A	H	C
D	E	A	C	H	F	I	G	B
H	D	C	A	I	E	B	F	G
I	G	F	D	B	H	C	E	A
A	B	E	F	C	G	D	I	H

72

G	I	C	F	E	B	H	A	D
D	E	A	C	I	H	B	G	F
H	F	B	G	D	A	E	C	I
B	G	I	E	F	C	A	D	H
E	A	F	D	H	G	I	B	C
C	D	H	A	B	I	F	E	G
A	C	E	H	G	F	D	I	B
F	B	D	I	C	E	G	H	A
I	H	G	B	A	D	C	F	E

73

H	I	G	F	B	C	E	A	D
A	D	B	I	H	E	C	G	F
E	F	C	A	D	G	B	H	I
F	B	I	D	A	H	G	C	E
C	H	D	G	E	B	I	F	A
G	E	A	C	I	F	D	B	H
I	G	H	E	C	A	F	D	B
B	C	E	H	F	D	A	I	G
D	A	F	B	G	I	H	E	C

74

C	G	H	A	I	F	D	B	E
I	A	B	C	D	E	G	H	F
F	E	D	G	B	H	A	C	I
B	F	E	D	H	G	C	I	A
G	D	A	I	F	C	H	E	B
H	I	C	E	A	B	F	D	G
E	B	F	H	G	D	I	A	C
A	H	G	B	C	I	E	F	D
D	C	I	F	E	A	B	G	H

Alpha Doku

75

E	H	I	C	A	G	B	D	F
D	F	C	B	I	H	G	A	E
B	G	A	D	E	F	I	H	C
F	I	G	E	H	A	C	B	D
A	C	D	F	B	I	E	G	H
H	B	E	G	D	C	A	F	I
G	A	H	I	C	D	F	E	B
C	D	B	A	F	E	H	I	G
I	E	F	H	G	B	D	C	A

76

A	D	F	G	E	B	I	H	C
E	G	B	I	H	C	A	D	F
H	I	C	F	D	A	E	B	G
D	F	E	A	I	H	C	G	B
C	H	I	B	F	G	D	A	E
G	B	A	D	C	E	H	F	I
F	E	H	C	B	D	G	I	A
I	A	D	E	G	F	B	C	H
B	C	G	H	A	I	F	E	D

77

G	D	B	E	I	C	F	A	H
H	E	C	B	F	A	G	I	D
F	A	I	H	D	G	B	C	E
E	F	H	D	A	I	C	G	B
C	I	A	G	E	B	H	D	F
D	B	G	C	H	F	I	E	A
A	H	F	I	C	E	D	B	G
B	C	E	F	G	D	A	H	I
I	G	D	A	B	H	E	F	C

78

H	G	D	C	I	E	B	F	A
B	I	C	A	H	F	E	G	D
E	A	F	D	B	G	H	I	C
A	E	B	H	C	I	G	D	F
G	C	I	E	F	D	A	B	H
D	F	H	G	A	B	I	C	E
I	B	E	F	D	H	C	A	G
F	H	A	B	G	C	D	E	I
C	D	G	I	E	A	F	H	B

Alpha Doku

79

F	B	D	H	E	A	I	C	G
H	I	A	C	B	G	F	E	D
G	E	C	F	I	D	B	A	H
C	D	H	I	A	E	G	F	B
E	F	G	B	D	C	A	H	I
B	A	I	G	H	F	E	D	C
I	C	E	D	F	B	H	G	A
A	G	B	E	C	H	D	I	F
D	H	F	A	G	I	C	B	E

80

F	A	C	B	D	G	H	E	I
E	B	G	H	C	I	D	A	F
H	I	D	F	E	A	C	G	B
G	C	B	A	I	H	F	D	E
A	H	I	E	F	D	B	C	G
D	F	E	C	G	B	A	I	H
B	D	H	G	A	E	I	F	C
I	G	F	D	B	C	E	H	A
C	E	A	I	H	F	G	B	D

81

I	D	A	E	B	H	G	F	C
E	B	G	A	C	F	D	H	I
C	F	H	D	I	G	A	E	B
F	H	B	G	D	I	E	C	A
G	I	E	H	A	C	B	D	F
D	A	C	F	E	B	H	I	G
H	E	I	B	F	A	C	G	D
A	C	D	I	G	E	F	B	H
B	G	F	C	H	D	I	A	E

82

B	C	G	I	H	F	A	E	D
E	D	H	C	B	A	I	F	G
I	F	A	E	D	G	C	B	H
D	B	E	A	C	I	H	G	F
H	I	F	G	E	B	D	C	A
A	G	C	D	F	H	E	I	B
G	H	D	F	I	E	B	A	C
C	A	I	B	G	D	F	H	E
F	E	B	H	A	C	G	D	I

83

F	B	D	H	E	C	I	G	A
E	A	C	I	G	B	H	F	D
G	H	I	F	A	D	C	B	E
D	E	H	B	I	F	A	C	G
I	F	A	G	C	H	D	E	B
C	G	B	A	D	E	F	H	I
B	I	G	C	H	A	E	D	F
H	D	F	E	B	I	G	A	C
A	C	E	D	F	G	B	I	H

84

G	E	I	F	A	D	H	C	B
H	D	A	B	G	C	E	I	F
F	B	C	I	H	E	D	A	G
E	C	H	D	I	B	G	F	A
B	F	D	A	C	G	I	E	H
A	I	G	H	E	F	C	B	D
I	G	B	C	F	H	A	D	E
C	H	F	E	D	A	B	G	I
D	A	E	G	B	I	F	H	C

85

B	G	I	H	F	A	D	C	E
A	H	C	E	G	D	F	I	B
E	D	F	B	C	I	G	A	H
H	E	A	D	B	C	I	F	G
G	I	B	A	H	F	C	E	D
C	F	D	I	E	G	H	B	A
D	B	H	F	I	E	A	G	C
I	A	G	C	D	B	E	H	F
F	C	E	G	A	H	B	D	I

86

A	D	C	E	H	B	F	G	I
I	H	F	D	G	C	B	A	E
E	B	G	A	I	F	H	C	D
H	A	D	C	B	I	G	E	F
B	F	E	G	A	D	I	H	C
G	C	I	F	E	H	A	D	B
C	G	H	B	F	E	D	I	A
D	I	B	H	C	A	E	F	G
F	E	A	I	D	G	C	B	H

Alpha Doku

87

D	E	I	B	A	H	F	G	C
A	G	H	E	F	C	D	B	I
F	C	B	D	I	G	A	H	E
C	D	G	I	E	B	H	A	F
H	B	F	C	G	A	I	E	D
I	A	E	H	D	F	G	C	B
B	F	C	A	H	I	E	D	G
G	H	D	F	B	E	C	I	A
E	I	A	G	C	D	B	F	H

88

E	D	I	F	A	G	C	H	B
C	H	F	I	B	E	A	G	D
A	B	G	C	H	D	E	F	I
I	G	A	H	F	B	D	E	C
F	C	B	E	D	A	H	I	G
D	E	H	G	I	C	B	A	F
B	I	E	D	G	H	F	C	A
G	A	C	B	E	F	I	D	H
H	F	D	A	C	I	G	B	E

89

D	A	E	C	F	G	I	H	B
G	F	H	D	B	I	A	C	E
C	I	B	H	A	E	F	D	G
B	E	C	F	D	H	G	I	A
H	D	F	G	I	A	E	B	C
A	G	I	E	C	B	H	F	D
I	C	A	B	G	F	D	E	H
E	B	G	I	H	D	C	A	F
F	H	D	A	E	C	B	G	I

90

A	B	I	D	H	F	G	E	C
D	C	E	I	A	G	H	B	F
H	G	F	C	E	B	I	A	D
B	I	C	E	F	H	A	D	G
E	D	G	B	I	A	C	F	H
F	A	H	G	C	D	B	I	E
C	H	A	F	B	E	D	G	I
I	F	D	A	G	C	E	H	B
G	E	B	H	D	I	F	C	A

91

B	D	I	H	G	E	C	F	A
E	F	G	B	C	A	I	D	H
A	H	C	D	I	F	E	B	G
F	G	E	C	H	D	A	I	B
I	C	H	A	E	B	F	G	D
D	A	B	G	F	I	H	C	E
C	B	A	I	D	H	G	E	F
G	E	D	F	A	C	B	H	I
H	I	F	E	B	G	D	A	C

92

C	H	I	D	A	B	G	E	F
G	A	F	I	E	C	B	H	D
D	E	B	G	H	F	C	I	A
B	F	E	A	I	D	H	G	C
A	G	C	E	F	H	I	D	B
H	I	D	C	B	G	A	F	E
E	B	H	F	G	A	D	C	I
F	D	A	H	C	I	E	B	G
I	C	G	B	D	E	F	A	H

93

F	C	A	B	D	H	I	E	G
G	E	B	I	F	A	D	H	C
I	D	H	G	E	C	B	A	F
E	B	F	C	H	G	A	D	I
A	G	C	E	I	D	F	B	H
H	I	D	A	B	F	G	C	E
B	A	I	H	G	E	C	F	D
D	H	G	F	C	B	E	I	A
C	F	E	D	A	I	H	G	B

94

G	E	H	F	C	D	I	B	A
F	A	B	I	G	E	C	D	H
D	C	I	H	A	B	F	E	G
I	F	D	A	H	G	B	C	E
H	G	C	B	E	I	D	A	F
A	B	E	D	F	C	H	G	I
B	H	A	E	D	F	G	I	C
E	I	G	C	B	H	A	F	D
C	D	F	G	I	A	E	H	B

Alpha Doku

D	I	G	H	B	A	F	C	E
C	H	F	D	E	G	I	A	B
E	A	B	C	F	I	H	G	D
I	B	D	E	G	H	A	F	C
G	E	A	B	C	F	D	H	I
F	C	H	A	I	D	E	B	G
H	D	I	G	A	C	B	E	F
A	G	E	F	D	B	C	I	H
B	F	C	I	H	E	G	D	A

G	A	E	B	C	F	H	I	D
F	H	C	A	I	D	G	E	B
B	I	D	G	E	H	C	A	F
I	C	G	H	B	E	F	D	A
H	D	B	I	F	A	E	C	G
E	F	A	D	G	C	B	H	I
A	G	F	E	H	I	D	B	C
C	E	I	F	D	B	A	G	H
D	B	H	C	A	G	I	F	E

97

G	C	A	I	F	E	B	H	D
D	H	E	B	A	C	I	G	F
B	I	F	G	D	H	A	E	C
F	A	I	H	C	D	E	B	G
C	G	D	A	E	B	H	F	I
H	E	B	F	I	G	C	D	A
E	D	H	C	G	I	F	A	B
I	F	G	E	B	A	D	C	H
A	B	C	D	H	F	G	I	E

98

F	E	I	C	B	G	D	A	H
D	G	H	I	F	A	E	B	C
A	B	C	H	E	D	G	I	F
E	I	B	F	D	H	A	C	G
H	A	G	B	I	C	F	D	E
C	F	D	G	A	E	I	H	B
I	H	F	D	G	B	C	E	A
B	D	A	E	C	F	H	G	I
G	C	E	A	H	I	B	F	D

99

C	G	A	I	E	D	F	H	B
B	E	D	F	G	H	C	A	I
I	F	H	A	B	C	G	E	D
G	B	I	H	F	A	D	C	E
A	C	F	D	I	E	H	B	G
D	H	E	B	C	G	A	I	F
E	A	B	C	D	F	I	G	H
F	I	C	G	H	B	E	D	A
H	D	G	E	A	I	B	F	C

100

D	H	B	C	I	G	E	F	A
E	A	F	H	B	D	I	C	G
C	G	I	A	E	F	H	B	D
A	F	G	E	C	I	B	D	H
B	I	D	F	H	A	C	G	E
H	C	E	G	D	B	A	I	F
I	B	H	D	F	E	G	A	C
G	D	C	B	A	H	F	E	I
F	E	A	I	G	C	D	H	B

Su Doku

Su Doku

The Times Killer Su Doku

The Times Alpha Doku

The Times Junior Su Doku

The Times Su Doku for Beginners

The Times Bumper Su Doku

Puzzles by Pappocom presents

www.sudoku.com

the Su Doku website for all Su Doku fans. Check
it out for tips on solving, and for all the latest
news in the world of Sudoku.

Want more puzzles
of your favourite grade?

For an endless supply of the best Su Doku
puzzles get the **Sudoku program** for your
Windows PC. Download a 28-day
free try-out version of the program
from www.sudoku.com/download.htm

*Here's what you can do with the computer program
that you cannot do with pencil and paper:*

- Never run out of the grade of puzzle you
  enjoy the most
- Check whether your answer is correct with just
  one click
- Elect to be alerted if you make a wrong entry
- Delete numbers easily, with just a click
- Elect to have your puzzles timed, automatically
- Get hints, if you need them
- Replay the same puzzle, as many times as
  you like